ÁNGELES DE CURACIÓN

EL ARCÁNGEL RAFAEL

ÁNGELES DE CURACIÓN

EL ARCÁNGEL RAFAEL

Elizabeth Clare Prophet

Porcia Ediciones
Barcelona   Miami

ANGELES DE CURACIÓN. EL ARCÁNGEL RAFAEL
De la *Serie de Conferencias sobre Ángeles* de Elizabeth Clare Prophet

Esta edición en español es una traducción de:
HOW THE ANGELS HELP YOU TO HEAL YOURSELF, YOUR FAMILY AND FRIENDS
Lectures from Angels Audio Library by ELIZABETH CLARE PROPHET

Copyright © 2000 by SUMMIT UNIVERSITY PRESS
All Rights Reserved.
1 East Gate Road, Gardiner, Montana 59030, U.S.A. (Tel: 406-848-9500 - Fax: 406-848-9555 -
Email: rights@summituniversitypress.org - Web site: http://www.summituniversitypress.com).
This lecture was originally published in English and produced in the U.S.A. This Spanish edition
is published under the terms of a license agreement between PORCIA EDICIONES, S.L. and
SUMMIT UNIVERSITY PRESS.
Todos los derechos reservados. Esta conferencia se publicó originalmente en inglés y se imprimió
en EE.UU. Esta edición española se publica según las condiciones del contrato suscrito por
PORCIA EDICIONES, S.L. y SUMMIT UNIVERSITY PRESS.

Traducción al español: Copyright © 2000 Porcia Ediciones, S.L.
Reservados todos los derechos. Publicado por

PORCIA EDICIONES, S.L.
Enamorados 68 Principal 1ª Barcelona - 08013 (España)
Tel./Fax (34) 93 436 21 55
E-mail: porciaediciones@wanadoo.es

Summit University Press, 🥄 , The Summit Lighthouse, Elizabeth Clare Prophet, *HOW THE
ANGELS HELP YOU TO HEAL YOURSELF, YOUR FAMILY AND FRIENDS* son todos
nombres protegidos, nombres comerciales o marcas registradas. Todos los derechos para su uso
están reservados.

Ninguna parte de este libro puede ser reproducida en forma alguna por medios electrónicos o
mecánicos, incluyendo almacenamiento de información o sistemas de archivo, sin permiso por
escrito del editor. Para más información dirigirse a Summit University Press.

La imagen de la cubierta tiene los derechos para su uso reservados. No puede ser usada o copiada
en ningún medio, incluso por fotocopia, sin autorización del autor, quedando sometida cualquier
infracción a las sanciones legalmente establecidas.
Imagen portada: Arcángeles Rafael y Madre María. Copyright © 2000 Marius Michael-George

1ª edición bolsillo: septiembre 2001
Depósito legal: B-28251-2001
ISBN : 84-95513-11-0

Impreso en España por: Novoprint
Printed in Spain

Índice

Imágenes

Introducción

Este libro forma parte de una serie de conferencias impartidas por Elizabeth Clare Prophet con el título «Cómo trabajar con los siete arcángeles: tus guías, tus guardianes y tus amigos».

Con este libro vas a aprender sobre el Arcángel Rafael y cómo trabajar con sus ángeles para que te ayuden a curarte a ti, a tus familiares y a aquéllos que están necesitados.

Los rayos espirituales enfocan los aspectos de la conciencia de Dios. Los siete rayos del arco iris de Luz espiritual corresponden a los siete principales centros de energía del cuerpo o chakras. Cada rayo tiene la frecuencia y la calidad de un único color y cada uno representa un sendero distinto hacia la automaestría. El quinto rayo es el rayo de la curación, la ciencia, la música, las matemáticas y la precipitación de la vida abundante.

Ángeles de curación

Hay ángeles de todo tipo: ángeles de la guarda, ángeles que se ocupan de cuidar nuestros cuerpos y de mantenerlos sanos, ángeles para la concepción y gestación de niños, ángeles arquitectos que nos inspiran para crear hermosos edificios. Hay ángeles que traen protección, bienestar, sabiduría, espíritu práctico, amor y compasión.

Con este libro aprenderás sobre los ángeles de la curación, que sirven en el quinto rayo de la Luz de Dios. Es el rayo verde de la curación, la ciencia, la música, las matemáticas y la precipitación de la vida abundante. El día en el que sentimos de forma más pronunciada el rayo verde es el miércoles y, como sabes, muchas iglesias ofrecen servicios de curación en ese día.

Es probable que muchas personas prefieran este rayo porque nos da la visión divina y porque a través de él podemos precipitar en la Tierra, es decir, manifestar todo aquello con lo que deseamos bendecirla a través de nuestro esfuerzo, nuestras oraciones y nuestro diligente servicio.

El quinto rayo corresponde al tercer ojo, también llamado chakra del ojo de la mente, que está entre las cejas.

La Reina de los Ángeles

Rafael es el arcángel del quinto rayo. Su complemento divino es la Virgen María, Madre de Jesús, también conocida como la Reina de los Ángeles. Me gustaría contarte algo de la historia de estos ángeles. Empezaremos con la Virgen María.

¿Cómo es que la Reina de los Ángeles se convirtió en la Madre de nuestro Señor, o al revés, cómo se convirtió la Santa Madre de nuestro Señor en la Reina de los Ángeles y en arcangelina o complemento divino del Arcángel Rafael?

Los arcángeles son tan antiguos como Dios. Ni siquiera se puede calcular en años o ciclos de la Tierra o del Sol su eterna presencia en el universo. La Santa Madre de Nuestro Señor ha sido el complemento de Rafael desde el momento en que Dios creó a los arcángeles. Veamos cómo se convirtió en la Madre de nuestro Señor. Alfa y Omega, nuestro padre y nuestra madre divinos, llamaron a Rafael y María al altar de Dios en el Gran Sol Central y encargaron a María la misión, si la aceptaba, de encarnar en cuerpo humano para ser la Madre de Jesucristo. El trabajo del Arcángel Rafael sería el de permanecer en el cielo y mantener el equilibrio para María mientras ella estuviese en la Tierra. Posteriormente, nació en la Tierra y dio a luz a nuestro Señor.

Retiros en el mundo celestial

Los arcángeles tienen retiros en el mundo celestial que se llaman universidades del espíritu y se asemejan a las ciudades de luz durante una era dorada.

El cielo es la octava etérica, un reino de luz encima de este denso mundo. En realidad, el alma de muchas personas viaja a estos retiros mientras duermen. Los retiros de los arcángeles —que son maestros cósmicos y nos dan iluminación para nuestra misión—, están abiertos y puedes estudiar en cualquiera de ellos, bajo su dirección.

No siempre nos acordamos de que hemos estado en esos retiros en el cielo, pero a veces nos levantamos por la mañana con un cierto recuerdo de una experiencia. Pensamos que fue un sueño, pero a menudo no es así: fue una experiencia real en la que encontramos a seres de luz, maestros, ángeles, consejeros.

Tu misión en la vida

Las personas que han tenido experiencias cercanas a la muerte han visto a ciertos consejeros a quienes describieron diciendo que eran algo parecido a un tribunal supremo. Recuerdan cómo estos jueces revisaban sus vidas. Son los denominados Señores del Karma, que nos asesoran y nos aconsejan; nos preparan cada vez que encarnamos y nos reciben cuando ésta finaliza.

Cuando encarnamos, los Señores del Karma nos dicen cuál es nuestro trabajo y nuestra misión para esta vida, y ello permanece grabado en lo más profundo de nuestras almas. A lo largo de nuestra vida hemos ido dando forma a nuestra misión; quizá de pequeños soñábamos con ser policías, bomberos, enfermeras, médicos, u otros oficios. Así pues, hemos buscado la educación que nos permitiera alcanzar esa meta.

Pero los Señores del Karma nos cuentan mucho más que nuestra misión. Hay muchos libros en los que podemos aprender sobre lo que sucede entre una vida y otra. Algunos de ellos hablan sobre personas a quienes se les ha practicado regresiones con lo que han recordado las experiencias que tuvieron antes de iniciar esta vida, así como los consejos y las instrucciones que recibieron. Incluso supieron de iniciaciones y pruebas que tendrían que pasar, de las personas con las que tendrían que encontrarse, con las que tendrían que hacer las paces, y de cómo aprenderían que el camino verdadero, el verdadero y único sendero, es el amor.

Nuestras almas reciben muchos consejos, pero cuando atravesamos el portal del nacimiento, cruzamos el velo del olvido. Por eso hay mucha gente que no está segura de que ha vivido antes, de que ha estado en el cielo, de que alguna vez ha conocido a seres de luz o ángeles. Y esa es una de las razones por las que doy conferencias y seminarios: para ayudar a la gente a familiarizarse con el conocimiento de los ángeles y el hecho de que todos tenemos un plan divino y de que cada uno de nosotros puede convertirse en un maestro ascendido.

Los maestros ascendidos

Los maestros ascendidos son personas que han vivido en este mundo con sus imperfecciones. A menudo nos cuentan que han pasado por todas las pruebas por las que hemos pasado nosotros. Pero ellos decidieron adquirir maestría sobre sí mismos, equilibrar su karma y graduarse en la escuela de la vida. No querían seguir viniendo, reencarnando una y otra vez. Por tanto, decidieron disciplinarse bajo la dirección de ciertos maestros y adeptos, y lo consiguieron. Han equilibrado el porcentaje necesario de su karma y han conseguido unirse a Dios. Pero no han dejado la Tierra, sino que están entre nosotros, aunque no les vemos porque su presencia está en una frecuencia superior a la nuestra. Una manera de contactar con ellos es mediante la recitación de oraciones y mantras que nos ayudan a acelerar nuestras percepciones espirituales y a incrementar la luz de nuestros chakras.

Los chakras y el Atmán

Los chakras son siete ruedas o centros de luz que se encuentran en el cuerpo etérico. Están situados a lo largo de la columna vertebral desde la base hasta la coronilla. Los arcángeles pueden bendecirnos con luz a través de esos centros espirituales. Como hemos dicho, podemos incrementar la luz de nuestros chakras mediante la oración y la meditación. Muchas personas han seguido el sendero de Oriente para aprender a meditar siguiendo la tradición budista o la tradición hindú. Son numerosos los que se sienten profundamente cautivados por el taoísmo. He dado una serie de conferencias sobre cristianismo y taoísmo, y he visto cómo las enseñanzas del taoísmo aclaran el significado de las Sagradas Escrituras y los textos de los gnósticos.

Así pues, encontramos un hilo común en los senderos místicos de las religiones del mundo. Cuando llegamos al corazón de cada religión, siempre encontramos la Luz. Encontramos el Atmán que está en nuestro mismísimo pecho. Dios ha colocado esa réplica de Sí mismo en nuestro corazón; en términos occidentales la denominamos Yo Superior. Es esa imagen de Dios según la cual fuimos originalmente creados.

Con respecto a los retiros de los arcángeles y las universidades del espíritu, el Arcángel Rafael y la Santa Madre, la Reina de los Ángeles, tienen su retiro celestial encima de Fátima, en Portugal. La Madre María también sirve en el Templo de la Resurrección, un retiro situado sobre Tierra Santa.

El Arcángel Rafael

Vamos a ver ahora quién es el Arcángel Rafael. El nombre Rafael significa «Dios ha curado» o «la medicina de Dios». Algunas tradiciones dicen que el Arcángel Rafael es el ángel de la ciencia y del conocimiento, y el guardián del árbol de la vida en el jardín del Edén.

Ciertos textos judíos sostienen que Rafael desterró a los demonios de la Tierra después del diluvio y le reveló a Noé el poder curativo de las plantas. Numerosos comentaristas identifican a Rafael con el ángel que agitó las aguas en el estanque de Betesda, donde Jesús sanó al hombre enfermo.

El Libro de Henoc describe a Rafael como el ángel que tiene a su cargo las enfermedades y las heridas de los hombres. Según el mismo texto, Rafael recibió el encargo de castigar a los ángeles rebeldes y sanar a la Tierra de las profanaciones de éstos. También se le conoce como el que guía a las almas que están en el infierno.

Cierta tradición judía reconoce a Rafael como a uno de los tres arcángeles que se aparecieron a Abraham en las llanuras de Mambré. También se cree que Rafael concedió a Sara la capacidad de concebir cuando ya le había pasado la edad de tener hijos.

En una de las escuelas de la cábala, la tradición mística del judaísmo, se dice que Rafael encarna el octavo sefirot, Hod, que significa majestad y esplendor. Cada uno de los diez sefirots emana de Dios e irradia distintos aspectos de Su ser.

Los ángeles caídos

Curiosamente, el impostor de Rafael en la jerarquía es Samael, que significa «veneno de Dios». A veces, cuando la gente no escucha a los siete arcángeles e ignora sus advertencias y profecías, Dios permite que el karma descienda.

No interviene cuando los ángeles perversos siembran destrucción tanto sobre las personas buenas como sobre los malas. La tradición cuenta que Dios permitió a Satán tentar a Job y que en todas las cosas éste fue juzgado hombre honrado y sin culpa ante Dios.

Así es como Dios permite —que no instruye— a los ángeles caídos que sometan a las personas a pruebas e iniciaciones. Si no aprendemos de los ángeles buenos, manteniéndonos centrados en el corazón de Dios, tendremos que aprender de los malos. En el caso de Job, Dios permitió que fuera tentado para probar que era honrado. Pero del mismo modo que Dios permite a Satán tentar a Job, también permite que Samael entregue el karma a aquéllos que son vulnerables.

¿Por qué algunos de nosotros somos vulnerables a Samael, el «veneno de Dios»? Simplemente porque hemos salido del camino de la obediencia a las leyes de Dios y, al hacerlo, hemos creado karma, y el karma nos hace vulnerables.

También somos vulnerables cuando no aceptamos la gracia de Dios, que nos permite arrepentirnos de nuestros actos antes de experimentar la retribución divina de la mano de cualquier ángel caído.

Cuando pienso en Samael, pienso que su nombre retrata con precisión su oficio. Le veo repartiendo activamente el «veneno de Dios» en forma de virus, bacterias, enfermedades terminales, tales como muchas formas de cáncer, y más recientemente, el sida.

El malvado demonio opuesto a Rafael es Adrammelech, que significa «canciller del infierno». Tras la gran rebelión registrada en el capítulo 12 del Apocalipsis, el Arcángel Miguel arrojó a Lucifer y a sus ángeles a la Tierra. Lo que sucedió es que fueron arrojados a cuerpos físicos, humanos, como castigo por rebelarse contra la Mujer y su descendencia.

Y la guerra entre los ángeles buenos y los ángeles malos continúa en la Tierra. Puede que no veamos la guerra, pero sí vemos sus efectos. Vemos la guerra contra los niños, vemos a la juventud convertida en el blanco de la industria del tabaco, vemos el uso de las drogas y experiencias sexuales cada vez más prematuras entre jóvenes, vemos sistemas educativos que manipulan sus mentes y no les dan las herramientas adecuadas con las que aprender a leer, a entender sus culturas, a tener autoestima.

Hay una guerra contra las mentes de las personas, hay una guerra contra la juventud del mundo; y suceden muchas cosas que, evidentemente, jamás las podrían hacer los ángeles buenos o las personas temerosas de Dios que caminan en Su luz. Cada uno de nosotros ha de definir al culpable. El Libro de Henoc, el libro del Apocalipsis y otros textos antiguos, nos dicen que los ángeles caídos están en la Tierra, que van en contra de la causa de la luz y que se comprometen con la causa de la oscuridad.

El poeta Henry Wadsworth Longfellow describe al Arcángel Rafael en *La Leyenda dorada* como el Ángel del Sol. A menudo las obras de arte retratan a Rafael con sandalias y con un bastón de peregrino.

No son frecuentes las muestras de adoración a Rafael antes del siglo XVI, pero sí lo son a partir del siglo XVII.

El libro de Tobías

Rafael es conocido como el jefe de los ángeles custodios y patrón de los viajeros. Este oficio deriva de su papel en el libro de Tobías.

El libro de Tobías se encuentra en la Biblia católica, pero también se encuentra en los libros apócrifos de la tradición judía y de la protestante. Los eruditos creen que Tobías fue escrito en el siglo III a. C. para dar ánimo a los israelitas durante su exilio. Éste fue un período en el judaísmo en el que aumentó la veneración a los ángeles.

En el libro de Tobías, Dios envía a Rafael para que alivie el sufrimiento de una piadosa familia israelita que vivía en el exilio. Rafael acompaña al joven Tobías en un viaje. En el siglo XV, Francesco Botticini retrató este viaje en su obra *Tobías y los ángeles*. Lo que me resulta singular es que Tobías, que toma la mano de Rafael, no parece en absoluto intimidado por el hecho de ir caminando con un ángel. El Arcángel Gabriel está al otro lado de Tobías y el Arcángel Miguel al otro lado de Rafael. Van los cuatro andando y hablando tan tranquilos como cualquier persona que pasea por la calle. Ésta es una imagen que quería darte de los ángeles para que tú también puedas estar tranquilo con ellos y reconocer que siempre han estado contigo.

Puedes dar instrucciones u órdenes a los ángeles, enviar legiones de ellos para que resuelvan problemas en el gobierno, en la capital de tu provincia y en la economía de tu país, para que resuelvan los problemas del crimen y para que haya un trato más justo en los tribunales, etcétera. Es infinito el número de tareas que los ángeles realizarán para ti porque Dios los creó para servirte, para servir a los hijos e hijas de Dios. Si puedes estar relajado y sentir que puedes darle la mano a un ángel y caminar con él por la calle explicándole todas tus preocupaciones y abrirle tu corazón, esto me alegrará mucho porque es exactamente lo que Dios quiere.

El libro de Tobías cuenta la historia del joven Tobías y su padre, Tobit, que se había quedado ciego. Tobit envió a Tobías a una ciudad lejana para recuperar un depósito de dinero. Rafael, disfrazado de experto viajero, se ofreció como guía. Acompañados del perro de Tobías, partieron juntos de viaje. Al parar la primera noche, cuando Tobías fue al río a lavarse, fue atacado por un pez. Rafael le dijo que agarrase al pez y le quitase la hiel, el corazón y el hígado. Tobías llevó todo eso con él durante el resto del viaje hasta la capital de Media, al este de Asiria.

Durante el camino, Rafael le contó que un familiar cercano, Sarra, a quien iba a conocer en la ciudad, sería su novia. Tobías, no obstante, protestó porque los siete anteriores maridos de Sarra habían fallecido en la noche de bodas ¡a manos del demonio Asmodeo! Pero Rafael le dio a Tobías una fórmula, prometiéndole que ésta iba a exorcizar al demonio de Sarra.

«Cuando entres en la cámara nupcial —dijo Rafael—, tomas el corazón del pez y parte del hígado y lo pones sobre las brasas de los perfumes. Se difundirá el aroma y cuando el demonio lo huela, huirá y nunca aparecerá ya a su lado.»

El valiente Tobías se casó con Sarra, entró en la cámara nupcial llevando el corazón y el hígado del pescado y siguió las instrucciones de Rafael. Mientras tanto, el padre de Sarra cavó una tumba para su yerno. Pero, tal como el ángel profetizó, el hedor del pescado hizo huir al demonio hacia Egipto. Rafael le dio alcance, lo ató y lo encadenó.

Los padres de Sarra, regocijados porque había sobrevivido a la maldición de la familia, dieron a la nueva pareja la mitad de todas sus pertenencias y le brindaron una gran fiesta de celebración del matrimonio. En el transcurso de dicha celebración, Tobías envió a Rafael a recuperar el dinero de Tobit. Tras catorce días de festejos, los recién casados y Rafael partieron hacia la casa de Tobit. En el camino, Rafael sugirió que Tobías y él se adelantaran para tranquilizar a sus padres, quienes estaban preocupados de que algo malo le hubiese ocurrido. Rafael le prometió a Tobías que su padre recuperaría la vista.

Rafael le indicó que pusiera la hiel del pez sobre los ojos de su padre: «El remedio hará que las manchas blancas se contraigan y se le caerán como escamas de los ojos. Y así tu padre podrá mirar y ver la luz».

Tan pronto como llegó a casa, Tobías aplicó la hiel del pez sobre los ojos de su padre. Se le cayeron las escamas y éste exclamó: «¡Ahora te veo, hijo, luz de mis ojos!»

En muestra de gratitud, Tobías le ofreció la mitad de sus nuevas posesiones a Rafael. Éste las rechazó y anunció a Tobías y a su padre: «Me ha enviado Dios para curarte a ti y a tu nuera Sarra. Yo soy Rafael, uno de los siete ángeles que están siempre presentes y tienen entrada a la gloria del Señor. Si he estado con vosotros, no ha sido por pura benevolencia mía hacia vosotros, sino por voluntad de Dios. A él debéis bendecir todos los días, a él debéis cantar. Mirad, yo subo al que me ha enviado. Poned por escrito todo cuanto os ha sucedido.»

La moraleja de la historia es: ¡No te vayas de viaje sin llevar contigo a Rafael!

Meditación del chakra del tercer ojo

Vamos a meditar ahora en el chakra del tercer ojo, el chakra donde enfocamos la visión divina. Recitamos este mantra para fortalecer nuestra visión con un único ojo:

YO SOY , YO SOY, el que todo observa
mi ojo es uno mientras imploro
elévame ahora y libérame
para que pueda ser tu santa imagen.

(recítese 3 veces)

Cuando decimos «YO SOY» o «YO SOY EL QUE YO SOY», que es el nombre de Dios, estamos afirmando que Dios está donde nosotros estamos. Piensa en las palabras YO SOY como «Dios en mí es».

Piensa en el poder de este mantra Dios en mí lo ve Todo; todo como si fuera perfecto, todo como cuando éramos en el principio con nuestra llama gemela. El ojo de Dios está en mí y yo estoy viendo el mundo entero elevado a la perfección en la cual Dios nos ve. Yo estoy contemplando todo y a todos en el cosmos entero como si fuera Dios.

Cuando dices «mi ojo es uno», estás afirmando una sola visión en una dirección. Estás afirmando que Dios coloca su ojo dentro de ti y tú vas a ver la realidad, a conocer esa realidad y a caminar dentro de ella.

Las siguientes líneas son el mandato a los arcángeles: «Elévame ahora y libérame, *para que pueda ser tu santa imagen*». Esa es la petición, esa es la orden y la respuesta vuelve hacia nosotros a través de los ángeles de Dios.

Cuando decimos «elévame ahora», ¿qué queremos elevar? Queremos elevar la luz, elevar nuestras almas, elevar nuestros corazones a Dios. Queremos que nuestros chakras giren y que los siete se equilibren, porque cada uno es como una manifestación del Gran Tao —el más, el menos— en perfecto equilibrio. Queremos elevar la kundalini, nuestra vibración, nuestra conciencia. No queremos estar deprimidos, sino ser elevados en la gran alegría de ser y saber que somos parte de Dios. Y cuando aceleremos nuestras mentes, nuestros corazones, nuestros estudios, nuestro trabajo, podremos realizar una contribución mucho mayor en nuestras comunidades y en nuestras familias.

Al recitar la última línea: «Para que pueda ser tu santa imagen», estás afirmando «yo estoy hecho a imagen y semejanza de Dios, quiero manifestar esa imagen ahora; estoy llamando al Ojo Omnividente de Dios para que superponga esa imagen sobre cada átomo, célula y electrón de mi ser para que pueda ajustarme a un patrón original, el patrón original según el cual fui creado». La meta del sendero espiritual es la restauración del alma y del vínculo del alma al Yo Superior, al que nos dirigimos como Santo Ser Crístico.

Este es el mantra que nos ayuda a hacerlo. Deberías recitar oraciones y mantras que tengan sentido para ti, que signifiquen algo, que te lleguen al corazón y que puedas entender.

Una vez que te sepas las cuatro líneas de este mantra, puedes cerrar los ojos, poner tu atención en el entrecejo y visualizar en él el Ojo Omnividente de Dios. Tu visión con los dos ojos es siempre relativa, está dividida, nunca es absoluta. Nuestro deseo es recuperar la visión divina que tuvimos en el principio. Queremos comprender con certeza lo que es real, lo que no es real, quiénes somos, adónde vamos. Éstas son cosas profundas de Dios que permanecen en nuestra alma.

La labor del Arcángel Rafael

Me gustaría dar a conocer la labor del Arcángel Rafael y de la Santa Madre. Trabajan con sanadores en todos los campos. Inspiran a los científicos, a los que están formados en las artes de curación y a los profesionales de la medicina, con nuevos remedios y métodos alternativos de curación.

Hay muchas formas de curación que son válidas. Sea cual sea la que quieras explorar, asegúrate de no dejar del todo los métodos médicos tradicionales. Cuando hay un problema serio en nuestro cuerpo, debemos considerar todas las opciones. Dios nos ha dado maravillosos remedios a través de la ciencia médica. Éstos han sido dispensaciones de gracia que han prolongado la vida en el siglo XX. Digo esto porque algunas personas que encuentran la espiritualidad creen que basta con la oración para lograr la curación. Los ángeles trabajan con las mentes más brillantes de la Tierra para traer los mejores resultados, el mayor alivio posible a las personas. Creo que deberíamos orar fervorosamente cuando exista una situación de vida o muerte, cuando se trate de operaciones quirúrgicas delicadas, porque ahí es donde las oraciones de muchos corazones unidos pueden inclinar la balanza hacia la victoria.

Llamamos a los ángeles para que coloquen su presencia sobre los médicos, quiroprácticos, sanadores de todo tipo. Llamamos a Rafael y a sus arcángeles porque son cirujanos maestros, así como lo son los serafines de Dios. Creo que juntando las cosas del cielo y de la Tierra, podremos lograr los mejores resultados en nuestras vidas.

Por lo tanto, es necesario saber cuándo visitar a un médico y cuándo visitar a un quiropráctico o acupunturista o a otro facultativo. Quizá convenga obtener segundas opiniones de cada uno. Los ánge-

les de Rafael establecen su presencia en las Facultades de Medicina y sobre los científicos e innovadores
de todas las ramas de la curación. Rafael dice que
sus ángeles usan «tecnología láser» para penetrar
hasta el núcleo de una célula [...] y expandir la llama
violeta desde dentro, y para sellar esa célula en lo
que se denomina la forma de pensamiento curativa.

La forma de pensamiento curativa

La forma de pensamiento curativa es una figura
—creada por los arcángeles— que representa un pensamiento. Está compuesta por tres esferas concén-
tricas que enfocan la luz curativa de Dios en cualquier parte del cuerpo e intensifican allí esa luz. La
esfera central es blanca, a su alrededor hay una esfera
azul, y alrededor de ésta hay una esfera verde.

¿Cómo usamos la forma de pensamiento curativa? Ante todo, usa el ojo de la mente para visualizar
los órganos físicos que necesiten curación. La mayo-
ría de nosotros no tenemos un funcionamiento ópti-
mo de todos los órganos de nuestro cuerpo. Lo primero que necesitas es obtener una idea del órgano
en cuestión. Por eso es bueno tener a mano un libro
de anatomía junto a tus herramientas para la oración.

A continuación, visualiza la energía de la forma
de pensamiento curativa penetrando las células, las
moléculas, y el núcleo de los átomos del órgano en
el que has puesto tu atención. El Arcángel Rafael dice
que si tú o algún ser querido sufrís alguna lesión,
podéis visualizar «ese órgano, ese ojo, ese corazón

lleno de luz de la forma de pensamiento curativa y resplandeciendo con la llama violeta». Los primeros momentos y horas después de un accidente son decisivos. Tanto si mantienes la vigilia al lado de la cama o en un lugar distante, debes dibujar en tu mente los órganos lesionados en su estado sano original funcionando perfectamente.

Visualiza la forma de pensamiento curativa con plena concentración durante la crisis inicial y luego cada quince minutos, más tarde cada hora. Tienes que mantener la forma de pensamiento curativa en tu mente excluyendo cualquier otro pensamiento.

Cuando adquieras el hábito de recitar el decreto y lo hagas a una cierta velocidad, esa rapidez también se manifestará en la limpieza de tu tercer ojo, manteniéndolo puro y sosteniendo lo que llamamos el concepto inmaculado.

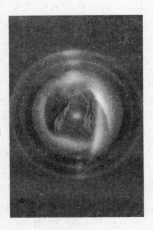

Imagen 1. Forma de pensamiento curativa

El concepto inmaculado

La Virgen María, Madre de Jesús, nos enseña qué es el concepto inmaculado y cómo mantenerlo. Nos enseña a usar nuestro tercer ojo para ver lo mejor, lo más hermoso, la concepción perfecta de toda forma de vida. Cuando miramos a alguien con ese ojo de amor, ese ojo de Dios, vemos en él lo mejor, en lugar de denigrarle, criticarle, juzgarle o analizarle. Así, el amor sostiene la imagen de la perfección de ese individuo y le ayuda a convertirse en ella.

Si un ser querido ha tenido un accidente y estás rezando para su curación, lo más importante es mantenerte concentrado en la imagen perfecta, el concepto inmaculado. Mantén firme esa imagen (al igual que cuando tomas una fotografía: si te mueves, queda borrosa); no apartes el ojo de esa perfección que sostienes. Disciplina tus emociones, tu miedo a lo peor. Habla a tus emociones y diles: «¡Paz, aquietaos! ¡Y sabed que YO SOY Dios!».

Esas son las palabras de Jesús. Debes aquietar tus emociones para que tu energía emocional no interfiera en el delicado proceso de curación.

Repite una y otra vez el mantra para la visión del tercer ojo. Ello te ayudará a disciplinar tu mente y tus emociones. Hay que cerrar la puerta a lo que dice la mente y a lo que las emociones temen para así aplacar la ansiedad, la duda y el temor. Quizá necesites ir a un lugar tranquilo para mantener la imagen de perfección y la forma de pensamiento curativa en el ojo de la mente. Necesitas estar en un lugar tranquilo porque eres un alquimista, usas la Mente de Dios y eso tiene mayor poder que cualquier otra cosa en el mundo.

Luego refuerza la acción de la esfera blanca de la forma de pensamiento curativa con los mantras o decretos correspondientes. Dos mantras sumamente poderosos son el mantra de la «Transfiguración» y el de la «Resurrección».

Invocación de curación

Esto es lo que necesita una persona que está en crisis, y tú puedes recitar las oraciones y los mantras con todo tu corazón.

Empieza con una invocación:

«En el nombre de mi poderosa Presencia YO SOY, en el nombre de mi Santo Ser Crístico, ángeles de la guarda y legiones de Rafael y Madre María y todos los ángeles de curación, Arcángel Gabriel, Arcángel Uriel de la resurrección y la transfiguración, hago las afirmaciones de este mantra para ...». Di el nombre de la persona o: «toda la gente involucrada en el accidente de automóvil, en la catástrofe aérea, todos los que están ...», y describe la situación. Puedes hacer la petición para diez mil personas o para una, recuerda que puedes ampliarla al máximo.

Cuando hayas nombrado a todos aquéllos a quienes dirijas la oración, mantenles en el ojo de tu mente. Visualiza la forma de pensamiento curativa sobre todo su cuerpo o sobre el lugar específico donde se hayan producido mayores daños.

Y luego di:

Mantra de transfiguración

«En el nombre de Dios, decreto en nombre de ...» (di el nombre de la persona o descríbela si no lo sabes). A continuación, recita este mantra con la autoridad de la Palabra de Dios dentro de ti:

Yo Soy quien transforma todas mis prendas,
cambiando las viejas por el nuevo día
con el sol radiante del entendimiento
por todo el camino YO SOY el que brilla.

YO SOY luz por dentro, por fuera,
YO SOY luz por todas partes.
Lléname, sana, glorifícame,
séllame, libera, purifícame,
hasta que así transfigurado todos me describan
YO SOY quien brilla como el Hijo
YO SOY quien brilla como el Sol.

Usa el poder de tu visión para visualizar cómo se hace realidad cada palabra que dices. Puedes ver el cuerpo de la persona lesionada lleno de luz, brillando como el Sol.

Mantra de resurrección

La siguiente es la invocación de la llama de la resurrección. Jesús nos dio el mantra de esta llama cuando afirmó: «¡YO SOY la Resurrección y la Vida!».
Recuerda que «YO SOY» significa «Dios en mí es ...», «Dios en mí es la resurrección y la vida de ...».

A continuación nombra a la persona que se halla afligida. «YO SOY la resurrección y la vida de Juan», y visualiza la llama de la resurrección alrededor de la persona. Su color es el madreperla, todos los rayos del arco iris en una llama nacarada.

El poder de las palabras de Jesús, a medida que las vayas repitiendo, es absolutamente tremendo. El Hijo de Dios pronunció esas palabras y el mismísimo aliento que él exhaló es todavía parte de esta Tierra. Sus palabras están grabadas en los éteres y, cuando las pronunciamos, tenemos todo su poder con nosotros. También podemos decir: «En el nombre de Jesucristo, YO SOY la Resurrección y la Vida de la vista y oído perfectos de [la persona en cuestión]».

Además de ese mantra de una línea, puedes dar el siguiente mantra de la resurrección:

YO SOY la llama de la Resurrección,
destellando la pura Luz de Dios.
YO SOY quien eleva cada átomo ahora,
YO SOY liberado de todas las sombras.
YO SOY la Luz de la Presencia Divina,
YO SOY por siempre libre en mi vida.
La preciosa llama de la vida eterna
se eleva ahora hacia la Victoria.

Acepta esto con plena fe para ese ser querido. No albergues una sombra de duda, porque los ángeles de la curación y los ángeles de la resurrección están trabajando.

Estos dos son los mantras que puedes usar para la esfera blanca.

Mantra de perfección

Vamos ahora a reforzar la esfera azul. Para ello tenemos el mantra con el que pedimos perfección y dirección divina. Queremos la dirección divina para la curación de este cuerpo. Deseamos que la voluntad de Dios y el patrón original de esa persona sean anclados. Eso es lo que hace la esfera azul de la forma de pensamiento curativa. Sostiene la matriz para que ese órgano dañado sea restaurado a su funcionamiento perfecto. Entonces, en el nombre de Jesucristo, recitamos este mantra para la persona por la que estamos pidiendo:

YO SOY vida de dirección Divina
enciende tu luz de la Verdad en mí
concentra aquí la Perfección de Dios
de toda discordia libérame.
Guárdame siempre muy bien anclado
en toda la Justicia de tu plan sagrado,
¡YO SOY la Presencia de la Perfección!
viviendo la Vida de Dios en el hombre

Cuando lo recites, puedes ir subiendo poco a poco el tono porque estás luchando para elevar la vibración de esta persona que está necesitada. Así, la siguiente vez subes el tono un grado más. Recuerda, no obstante, que tú eres el alquimista, y es mejor que recites estos decretos a tu propio ritmo, para que te suenen bien y te sientas cómodo.

Decreto de la llama de curación

Ahora vamos a reforzar la esfera verde. Para ello usamos el decreto llamado «Llama de curación». Éste refuerza la acción de curación externa de la forma de pensamiento curativa. Está compuesto de dos estrofas y un estribillo. Tal como hicimos anteriormente, podemos hacer primero una invocación y especificar la situación o el nombre de la persona para quien pedimos curación.

Amada poderosa victoriosa Presencia de Dios YO SOY en mí, oh tú, amada, inmortal y victoriosa llama trina de Verdad eterna dentro de mi corazón, Santos Seres Crísticos de toda la humanidad, amados Helios y Vesta, amado Hilarión, Palas Atenea, Arcángel Rafael y los ángeles de curación, amado Jesús el Cristo, Madre María, El Maha Chohán, amado Poderoso Ciclopea y Maestra Meta, amado Lanello, todo el Espíritu de la Gran Hermandad Blanca y la Madre del Mundo, vida elemental: ¡fuego, aire, agua y tierra!

En el nombre de la Presencia de Dios que YO SOY y a través del poder magnético del fuego sagrado del que estoy investido, yo decreto:

Del verde más intenso es la Llama Curativa,
totalmente serena YO SOY la Presencia Divina,
a través de mí vierte tu Misericordia,
que ahora la Verdad todo lo corrija.

Estribillo:
Milagro de la llama de consagración,
que mi mente medite ahora en ti

para mi hermano un servicio mejor
y la plenitud de todo tu Poder.
Curación de la llama de consagración,
mantén mi ser de curación colmado,
la misericordia sella a todos mis hermanos
por la gracia del Deseo de Dios.

Llama de curación, llena mi forma,
vida vibrante renace en mí;
Dios en mí, hazme íntegro,
YO SOY el que cura a todas las almas.

El primer párrafo, el preámbulo, es una preoración. Es lo que dices antes de recitar un mantra. Con ese preámbulo, invocamos a Dios, damos dirección, pedimos intercesión; luego el mantra sostiene la acción porque, a medida que lo repites, estás atrayendo la luz de Dios.

Cuando recitas un preámbulo, ése es el momento en que das tu devoción a Dios y sus ángeles, y ellos te devuelven curación y luz en la corriente de retorno. Tenemos que abrir el camino a nuestro Dios, y lo hacemos mediante la devoción.

Imagínate a ti mismo en tu ciudad limpiando un camino de la suciedad de la Tierra y de toda su densidad, sus registros y sus vibraciones. Imagínate cavando un túnel de luz y conectando ese túnel de luz directamente con el corazón de Dios. Cada día, cuando refuerzas esa abertura, sientes que tienes esta comunicación abierta con Dios todo el tiempo.

Cuando lleves algún tiempo usando este decreto, y lo hayas memorizado, puedes recitarlo con los ojos cerrados y concentrar toda tu atención y visualización en cómo se manifiesta físicamente eso que estás visualizando.

Imaginemos que alguien te llama por teléfono para decirte que un ser querido ha tenido un ataque al corazón y que está en el hospital. ¿Qué haces? Inmediatamente invocas la forma de pensamiento curativa sobre ese corazón: «En el nombre de Jesucristo, amado Arcángel Rafael, amada Madre María, colocad vuestra forma de pensamiento curativa sobre...», di el nombre completo de la persona, si lo sabes. Recita tus mantras de curación y visualiza esa forma de pensamiento curativa sobre ella.

Yo recibo llamadas telefónicas de mis estudiantes desde todas partes del mundo pidiendo ayuda, oraciones de curación en los accidentes más horribles, en situaciones de vidas amenazadas, o de madres en partos difíciles, y en muchas otras. Yo les aconsejo y hago invocaciones en el teléfono para aquéllos que están necesitados.

Sería imposible enumerar los testimonios que he recibido de personas que son curadas y ayudadas mediante la intercesión de los ángeles y las peticiones a Dios que ellos o nuestras vigilias de oración hacen y mediante las que yo misma hago para ellos.

No cabe duda de que ésta es una ciencia que funciona; pero hay que ponerlo a prueba y trabajar con uno mismo. Si deseas visión interna, quizá tengas que cambiar tu alimentación, evitar los alimentos que te densifican, reducir o eliminar los productos lácteos y la carne roja, en la medida de lo posible. Crea una situación en la que puedas tener visión interna gracias a que tu cuerpo no esté cargado de toxinas y sustancias ácidas, y de toda la comida pesada que te hace estar más denso.

Tu visualización es el poder de Dios. Desgraciadamente, lo que te impide tener la habilidad de imaginar es tenerlo todo en la televisión o en las películas de acción, de modo que no tengas que imaginar nada. Por eso, nuestras facultades imaginativas se atrofian.

A veces, aconsejo a la gente: «Visualice esto, visualice aquello, vea esto, vea aquello». Y me contesta: «No sé cómo hacerlo, no sé cómo visualizarlo. Dígame cómo visualizarlo». Y entonces tenemos que empezar por lo más básico. Tomamos una forma de pensamiento, por ejemplo, una cruz, y digo: «Dibuje una cruz. Mírela. Cierre los ojos. ¿Puede ver la cruz?» Quizás la persona pueda verla o quizás no, dependiendo de si ha usado antes su facultad de imaginar. Esto es un ejemplo de cómo hoy en día la tecnología ha privado a las personas de sus poderes internos.

El propósito de visualizar la esfera blanca es, en el caso de un ataque al corazón, suministrar la energía purificadora para establecer la geometría del corazón original y perfecto que Dios ha diseñado. La esfera azul sirve para establecer la protección y la acción de la voluntad de Dios, que atrae a los átomos, las moléculas y las células hacia su proyecto original. Seguidamente, la esfera verde refuerza la acción de curación externa.

Uso de la forma de pensamiento curativa.
Un ejemplo.

Una estudiante me escribió contándome cómo usó la forma de pensamiento curativa:

En 1983, mi hermana me llamó un día para decirme que el médico acababa de comunicarle que tenía cáncer de pulmón. Estaba realmente desesperada. Le aseguré que no había razón para que tuviera que morir, que la Virgen María podía curar el cáncer y que yo rezaría por ella. Le dije que le enviaría imágenes de la forma de pensamiento curativa y le pregunté si ella podría visualizarla sobre sus pulmones. Me dijo que sí. Inmediatamente le hablé a la Virgen y le dije que recitaría ciertas oraciones todos los días hasta que mi hermana fuese curada. Recité el rosario dos veces por día y tres decretos de curación doce veces cada uno.

Dos semanas más tarde, después de hacerse más pruebas y algunas radiografías, mi hermana me llamó: «Las últimas pruebas han sido negativas. ¡Los médicos dicen que deben de haber cometido un error!»

Uso de la forma de pensamiento curativa.
Otro ejemplo.

El siguiente estudiante usó la forma de pensamiento curativa como ayuda en otra curación:

En 1986 yo trabajaba en una agencia de seguros de Minneapolis. Bill, el jefe de mi departamento, y su secretaria, Lois, eran personas muy amables y cariñosas. Una mañana Lois me dijo que la esposa de Bill estaba lidiando su segunda batalla contra el cáncer de

garganta. Una ecografía había confirmado su maligni-
dad y tenía hora para ir a la Clínica Mayo de Rochester
dos semanas más tarde.

Lois me dijo que Bill estaba muy preocupado por
su mujer. Tuve la sensación de que tenía que rezar por
ella a la Madre María. Le pregunté a Lois si estaba dis-
puesta a hacer meditaciones y orar por la esposa de Bill
si yo le traía una imagen de la forma de pensamiento
curativa. Le encantó la idea, confiándome que sabía
que los colores tenían algo que ver con la curación.

Le traje la imagen y le indiqué que visualizase esta
forma de pensamiento sobre el cuello de la esposa de
Bill mientras recitaba las oraciones para su curación.
Le escribí una petición a la Virgen.

[Ello consiste en tomar un papel y escribirle una
carta a la Virgen María, diciéndole: «Amada Madre
María, te pido en nombre de esta persona». A continuación le pides cosas concretas. Luego te compro-
metes con ella o con cualquier ángel o maestro ascendido a recitar determinados decretos o mantras
para suministrarles la energía necesaria para la acción de curación. Quema la carta en un lugar seguro
pidiendo a los ángeles que la lleven a la Madre María. En este caso, prometió recitar decretos de curación y el decreto «El bálsamo de Galaad» para la esposa de Bill hasta que estuviese curada].

Dos semanas más tarde, Bill llevó a su esposa a
Rochester para ser intervenida quirúrgicamente. Tras
la operación, Bill telefoneó a la oficina para contarle a
Lois que ninguno de los bultos era maligno. ¡Dijo que
era un milagro! Al minuto, Lois vino a mi despacho muy

contenta, y me contó lo que Bill había dicho. Luego dijo: «¡Lo hiciste! ¡Le salvaste la vida!». Le aseguré que yo no había obrado el milagro sino que sus oraciones y visualizaciones junto con las mías habían abierto el camino para que la Madre María anclara la luz de curación de Dios en el cuerpo físico de la esposa de Bill.

Cómo hacer mejores curaciones

Puedes practicar las meditaciones y visualizaciones explicadas más arriba. Y puedes lograr mejores resultados cada día si adquieres el hábito de la oración, de hablarle a Dios, de hablar a los ángeles, de darles encargos y de mantener tus chakras abiertos para Dios en lugar de dejarlos abiertos a la contaminación del mundo.

Puesto que hay tantas personas en situación de emergencia por todo el mundo, decidí crear pequeñas imágenes de tamaño cartera que tienen mantras en el reverso, y en el anverso —ya que tantas personas tienen dificultad para visualizar— una forma de pensamiento. Tenemos una imagen de la forma de pensamiento curativa y otra del Ojo Omnividente de Dios. Cuando visites a un enfermo, puedes colocar la imagen de la forma de pensamiento curativa sobre el área de su cuerpo que necesite curación. También puedes poner la imagen del Ojo Omnividente de Dios sobre su frente o en cualquier lugar del cuerpo, siempre, por supuesto, con el consentimiento previo del enfermo.

La llama violeta

El libro «La ciencia de la Palabra hablada» contiene imágenes de muchas formas de pensamiento de curación, de resurrección, de la llama violeta. Una de ellas muestra la llama violeta alrededor de un corazón. Cuando pidas la curación de alguien, es importante que invoques la llama violeta. Esta llama es el fuego espiritual del Espíritu Santo que tiene poder purificador. Cuando la invocas, ella transmuta las imperfecciones de la mente, del corazón y del cuerpo. Facilita la curación cuando la usamos conjuntamente con las prácticas médicas tradicionales.

Un buen decreto es «Más Llama Violeta». Usa el tercer ojo y visualiza la llama violeta alrededor de la persona por la que estés rezando:

Bella Presencia de Dios YO SOY en mí
escucha ahora mi decreto:
¡Torna en realidad toda bendición que invoco
sobre el Santo Yo Crístico de cada quien!

Haz que el Fuego Violeta de Libertad
ruede por el mundo para sanar a todos
que sature la Tierra y su gente, también,
¡con creciente resplandor Crístico brillando
completamente!

YO SOY esta acción de Dios en las alturas,
sostenida por la mano del Amor celestial,
transmutando las causas de la discordia aquí,
removiendo los núcleos para que nadie tema.

YO SOY, YO SOY, YO SOY,
el pleno poder del Amor de la Libertad,
que eleva a la Tierra hasta el Cielo en las alturas,
fuego Violeta que ahora radiante brilla
en la belleza viva está la Luz misma de Dios
que ahora mismo y por siempre
pone al mundo, a mí y a toda vida
eternamente en libertad en la Perfección
del Maestro Ascendido
¡Todopoderoso YO SOY!
¡Todopoderoso YO SOY!
¡Todopoderoso YO SOY!

El mantra «Bálsamo de Galaad»

«El Bálsamo de Galaad», el siguiente mantra, es una de las plegarias que mi estudiante usó como instrumento para la curación de la esposa de Bill.

Oh Amor de Dios, inmortal Amor,
envuelve todo en tu rayo;
¡Envía compasión desde las alturas
para elevar a todos hoy día!
¡En la plenitud de tu poder,
derrama tus gloriosos rayos
sobre la Tierra y todo lo que hay en ella
donde la vida en sombra aparenta estar!
Que la Luz de Dios resplandezca
para liberar a los hombres del dolor;
¡Elévalos y revístelos, oh Dios,
con tu poderoso nombre YO SOY!

La acción de curación del Arcángel Rafael

Rafael ha dicho en sus dictados: «Venimos para la curación del alma, [...] de la mente, del corazón, sabiendo [...] que todo lo demás llegará por añadidura hasta la curación del cuerpo». «La última curación permanente que hemos de concedernos nosotros, es una curación de la totalidad espiritual, así como de la física».

La Virgen María nos enseña: «Recordad llamar a Dios, a nosotros mismos y a muchos ángeles para que traigan curación donde ésta sea posible. Y si la Ley no lo permite en la carne, entonces pedid [...] la curación del alma y del espíritu». Ella nos dice que recemos para que el alma pueda partir en la hora de la muerte y entrar en planos celestiales de gloria y de aprendizaje, a fin de prepararse para una última visita a la Tierra antes de la ascensión. «Es la curación del hombre entero lo que hemos logrado», nos dice. Interpretamos en ello que podemos cumplir sólo lo que el karma nos permita, a menos que, por un acto de gracia o por las oraciones de muchos, el karma pueda ser apartado.

Karma y enfermedades

Rafael nos habla del karma y nos dice que son pocos los que pueden llegar a creer en «la ciencia del karma» ya que muchos no entienden el papel clave que el karma desempeña en la posibilidad de curación de un enfermo. «El factor determinante de la cuestión», afirma, que a menudo indica si un individuo se recuperará o cruzará el umbral de la vida, «es sus circunstancias kármicas».

El karma siempre llega en un momento inoportuno. Nunca he visto descender el karma sobre alguien en un momento que no fuera inconveniente. (Una buena razón para no hacer karma negativo.) El karma retorna en círculos de órbita tan amplia que pueden pasar diez mil años antes de volver a encontrar el karma que hicimos en la Atlántida o en antiguas civilizaciones. Y cuando vuelve, no comprendemos por qué Dios nos hace una cosa así, cuando el karma no es más que el conjunto de causas que hemos puesto en movimiento y que siempre vuelven a su punto de origen.

Rafael nos dice que a veces «la Ley decreta que el karma debe ser [...] equilibrado en este preciso momento». Por tanto, si no te preparas mediante oración devocional y un corazón contrito, o invocando la llama violeta, o si estás privado de alegría en tu trabajo, quizás te encuentres sin la suficiente Luz de Dios en tu depósito para consumir la oscuridad que, rápida y repentinamente, pueda aflorar en tu cuerpo.

Tenemos que acumular los fuegos del corazón y de la resurrección a través del sendero del *bhakti* yoga, la devoción.

Tenemos que crear el hábito a fin de prepararnos para el día en que tengamos una necesidad urgente. Algún día, en un abrir y cerrar de ojos, puedes encontrarte en otros niveles, los del cielo, habiendo cruzado de repente el umbral de la vida, simplemente por no haber sido capaz de mantener la luz necesaria para sostenerte con vida en este cuerpo.

¿Conoces a alguien que nunca haya tenido una crisis en su vida o en su familia? Prepárate para ese día aumentando la luz en tu cuerpo a través del equilibrio del karma y mediante servicio a la vida en la Tierra. «Éste es el verdadero significado de 'trabaja mientras tengas la Luz', que Jesús dijo a sus discípulos», nos explica Rafael.

Mientras tengas Luz y fuerza en tus chakras y en tu cuerpo, y puedas servir y equilibrar karma, hazlo. No desperdicies esos años de energía. Úsala para acercarte cada vez más a Dios. «El significado es: equilibra tu karma mientras tengas fuerza —prosigue Rafael— y puedas cambiar tus circunstancias kármicas personales.»

«Cada alma —nos dice— debe afrontar a su Dios y a su karma. Aprendamos bien los poderes de intercesión que están disponibles, pero entendamos que hay que pagar un precio.» Debemos pagar el precio de nuestro karma y el precio de la intercesión. «No penséis que podéis invocar hoy la llama violeta para transmutar alguna mancha de vuestra conciencia y luego, cuando os habéis liberado o curado gracias a ello, podéis volver a consentiros el mismo comportamiento; volver a invocar la llama violeta y así sucesivamente» para transmutar defectos repetitivos. Rafael dice que, en algún momento futuro, la Ley decretará que ya no puedes tener la llama violeta porque la has malgastado y la has tomado a la ligera.

Si tu corazón es recto y estás determinado, en ese caso la llama violeta te quitará para siempre el defecto y la mancha del mismo que está en tu registro. Pero, para dejar de caer en esa misma falta, necesitarás fuerza de voluntad, y para ello puedes aprovechar el poder de la voluntad de Dios.

Algunos expertos en sanación dentro del área de la metafísica usan la oración, la hipnosis o el poder mental para negar que la enfermedad existe: «Simplemente di que no es real y dejará de existir». Es cierto que la gente se cura de esa forma, usando la negación. Pero lo que nos dicen los Maestros es que, haciendo eso, han empujado a la enfermedad hacia el cuerpo astral o el doble etérico; y el karma se aloja allí. La persona parece que está bien, se siente bien, no experimenta la enfermedad de su karma, pero tampoco lo equilibra.

Nuestro karma se convierte en enfermedad para que podamos llevar su carga y no tener que arrastrarlo hasta la siguiente vida. Las personas que van negando sus enfermedades —con suma eficacia porque tienen gran fuerza de voluntad mental— tendrán que volver para equilibrar el karma que causó la enfermedad.

Lo que nuestra tradición occidental no nos enseña es que todos somos responsables de cómo ejercitamos nuestro libre albedrío, de cómo usamos la Luz de Dios que fluye hacia nosotros a través del cordón cristalino que puedes ver en la Gráfica de la Presencia[1].

Lo que hacemos con esa Luz y esa energía, cómo la calificamos —negativa o positivamente—, es el factor que determina con qué nos enfrentaremos mañana, dentro de diez años y después de esta vida.

---

[1] Ver gráfica del Yo Divino, página 63.

Podemos aplicar la llama violeta para ayudar a resolver nuestros problemas físicos, mentales y psicológicos porque nos ha sido dada para la transmutación del karma.

Si transmutas tu karma antes de que transcurra el día en el que debe ocurrirte alguna calamidad debido a ese karma, eso está bien. Es conveniente dar los decretos de llama violeta quince o treinta minutos al día, servir a la vida, haciendo tu trabajo con alegría, ayudando a la gente, teniendo una actitud mental positiva y ofreciéndolo a los demás. Eso es una forma de equilibrar el karma. La llama violeta acelera el equilibrio del karma.

Cómo tener hijos con mayor logro espiritual

Algunas veces he llamado al Maestro Ascendido El Morya en nombre de algunas parejas casadas que quieren tener hijos y están buscando el patrocinio del Maestro. En no pocas ocasiones, él ha enviado el mensaje a través de mí de que deben pasar seis meses invocando la llama violeta en nombre de ciertas almas con las que tienen un karma muy difícil. Les pide que recen por esas almas, o por esa alma, que den muchos decretos de llama violeta para transmutar su karma con ellos y así no tengan que traerlos a su familia. Esos niños, por tanto, quedan libres también para tener una mejor encarnación y una vida mejor porque han rezado por ellos durante todo ese tiempo. Así pues, las parejas casadas pueden ser patrocinadas para tener un alma de gran logro y menos karma porque han deseado rezar por esos con quienes han tenido karma.

Ya ves lo precisa que es la vida y por qué traemos a nuestras familias a personas que son tan diferentes unas de otras. Es frecuente ver personas completamente distintas en algunas familias y eso es porque los padres tienen karma con esos individuos y su karma requiere que les traigan a través del nacimiento.

Decreto: Protege a nuestra juventud

Una de las cosas que nos pide la Virgen María es que pidamos a diario protección para todos los niños del mundo. Un decreto muy importante para esto es «Protege a nuestra juventud»:

¡Amado Padre Celestial!¡Amado Padre Celestial!
¡Amado Padre Celestial!
Asume hoy el mando de nuestra juventud
Flamea en ellos el rayo de la Oportunidad
Libera la poderosa fuerza de la Perfección
Amplifica la inteligencia cósmica a toda hora
Protege y defiende su diseño Divino
Intensifica su propósito divino
YO SOY, YO SOY, YO SOY
el poder de la Luz infinita
resplandeciendo a través de nuestra juventud
revelando pruebas cósmicas
aceptables y correctas,
el pleno poder de la Luz cósmica
a todo niño y hombre niño

¡En América y en todo el mundo!
¡Amado YO SOY! ¡Amado YO SOY!
¡Amado YO SOY!

Fíjate que cuando decretamos estamos ordenando a la Luz de Dios en el nombre de la Presencia YO SOY, la Presencia de Dios individualizada para cada uno de nosotros.

La Biblia dice que Jesús hablaba con autoridad y no como los escribas. Eso, de niña, siempre me impresionó. Cuando llegué a comprender los decretos, me di cuenta de que realmente no era yo quien hablaba con autoridad, sino que podía sentir el poder de mi Presencia YO SOY dando el decreto a través de mí. Oyes a tu Yo Superior dando estos decretos y sientes que tiene un enorme poder y autoridad para dirigir la Luz y los ángeles. Este decreto está dirigido a nuestro Padre Celestial en favor de la juventud del mundo.

Cuando aprendes este decreto, puedes recitarlo mientras haces tareas rutinarias. Puedes recitarlo treinta, cuarenta, cincuenta veces al mismo tiempo que haces tus tareas diarias.

Piensa en cuántas bendiciones serán vertidas a través de ti, el buen karma que haces y cómo sacas el mejor provecho de tu tiempo.

Los niños pequeños pueden ver a los ángeles

Los niños, en su inocencia, son capaces a menudo de ver a los ángeles que vienen a ayudarles. No es sólo una cuestión de inocencia, sino que no han vivido lo suficiente como para contaminar sus cuerpos tanto como los adultos. Los niños aún tienen la visión interna y sus chakras todavía están limpios. Los más pequeños pueden incluso sentir la pulsación de Dios y la presencia de ángeles a su alrededor si su fontanela todavía no se les ha cerrado.

Tengo una historia divertida que contarte. Hemos hablado sobre experiencias con ángeles fuera del cuerpo, durante la noche, al ir a los retiros. Cuando una de mis hijas era muy pequeña, un día se levantó por la mañana muy contenta porque había visto a la Madre María de noche, y me dijo: «¡Mamá, el esposo de la Madre María es de color verde!»

Sophy Burnham publicó en su libro «Cartas a los ángeles» la siguiente historia de una niña que vio a un ángel:

El 20 de septiembre de 1990, mi hija de tres años salió fuera de la casa para jugar. Mientras la miraba a través de las puertas correderas de cristal del patio, ella abrió la puerta de atrás, se dio la vuelta para cerrarla y en seguida se agachó. Me giré, y unos momentos más tarde, oí una caída. Una rama enorme había caído de nuestro olmo más grande, justo al lado de la niña.

Más tarde, le pregunté a mi hija por qué no había estado jugando en el patio, conduciendo su pequeño «jeep» rojo que funciona con pilas. Sin vacilar, me dijo: «Mamá, una diosa buena me pidió que me sentara y que no me fuera debajo del árbol, y yo hice exactamente lo que me había dicho».

La niña describió a la *diosa buena* como una hermosa mujer con alas que vino del cielo. Tenía un dorado cabello que flotaba y una luz brillante a su alrededor. Añadió que la luz era tan brillante que le dolía en los ojos. Pero cuando la tocó, era templada y no quemaba.

La madre describió los cambios espirituales que experimentó su hija tras el encuentro. Dice que la niña reza a su ángel y la dibuja casi cada día. Por la noche, pide que le lea historias de la Biblia y, desde el incidente, posee una «calma serena».

Éste es un testimonio maravilloso. Hay muchas historias de personas que han recibido ayuda de los ángeles y estas historias nos sirven para fortalecer nuestra fe.

La Virgen María

Hablemos ahora sobre la Virgen María. La palabra María significa «amada de Dios». En el Evangelio Apócrifo de Juan el Evangelista, Jesús se refiere a María como un ángel. Dice: «Cuando mi Padre pensó en enviarme al mundo, me envió su ángel, de nombre María, para recibirme». Como ya hemos dicho, en la teología católica, María es conocida como la «Reina de los Ángeles».

La Madre María nos dice:

Mi servicio a la Tierra depende directamente del llamado de los devotos. Y el más frecuente que escucho [...] es el Ave María.

Ha habido gran controversia respecto a las funciones de la Madre de Dios, al confundir ese cargo con mi persona y considerar que, de alguna manera, con esta salutación lo humano se hace divino.

Amados, os diré exactamente cómo empezó la tradición del llamado a mí. No fue por mi persona, sino por mi cargo. Es el cargo que ocupo como arcangelina del quinto rayo y en él, el amado Alfa ha colocado autoridad para la intercesión divina.

El llamado que me hacéis es contestado por millones de huestes del Señor que llevan la llama de esa función, que atienden ese cargo, que vienen a la Tierra a socorrer a las almas en mi nombre.

Por lo tanto, apelar a María [...] es hacerlo al rayo de la Madre (y a la arcangelina del quinto rayo). Pero, más concretamente, es un llamado científico a ese punto de contacto mío con la divinidad de nuestro Padre y de Brahmán, y de la Palabra en que también me he convertido.

No sólo soy vuestra Madre sino vuestra más íntima amiga. Os pido que toméis mi mano, me llevéis a vuestra casa, me aceptéis como vuestra amiga, no como a una remota deidad, un icono, [...] sino, simplemente como la sirviente del Señor [...]. YO SOY aquélla con quien podéis sentiros cómodos. Me sentaré a la mesa en vuestra cocina y tomaré una taza de té con vosotros. Recibiré lo que [...] sea precioso para vosotros, lo llevaré a mi corazón y os lo devolveré con la total consagración de mi amor. Os ayudaré en vuestras tareas diarias.

Yo Soy una madre para vuestro corazón. Soy una organizadora, una administradora. Soy una sacerdotisa y lidero los ejércitos del cielo.

Podéis conocerme en una o en varias de mis funciones, pero sobre todo, recordad que os asisto en vuestro sendero de gestión personal, organización de vuestra vida, establecimiento de prioridades, empleo del tiempo y de vuestras fuerzas.

Testimonio de una madre: «La Virgen María salvó a mi hijo de las drogas»

He recibido muchas cartas testimoniando la gran intercesión de la Virgen María. En una carta una madre relataba cómo la Virgen curó a su hijo de las drogas:

Cuando mi hijo Bradley tenía dieciséis años, un joven vecino me dijo que fumaba marihuana y que probablemente también tomaba otras drogas. Cuando aconteció que esa era seguramente la realidad, me estremecí más allá de lo que pueda expresar con palabras.

Fui al altar de mi casa y le pedí a Dios a gritos que me ayudase a ayudarle. Recé a la Madre María para que cuidase de él y dirigiese su sendero a fin de que él viese qué camino tomar. Le pedí que le diera amor propio y responsabilidad, y que a mí me diera la capacidad de ver el concepto inmaculado de su vida y de ser capaz de mantenerlo fueran cuales fueran las apariencias.

Empecé a cantar a la Virgen María y comencé a sentir su presencia muy cerca de mí. Así, los sollozos, las lágrimas y el dolor de mi corazón empezaron a calmarse.

Llegado un cierto punto, mientras estaba cantando, me di cuenta de que todo el salón estaba cantando. Sentí un hormigueo por todo el cuerpo y una fuerte presencia de consuelo y bendición.

La Madre María estaba de pie ante mí con un niño en sus brazos, y le oí decir: «YO SOY SU MADRE».

Permaneció ante mí mientras nos comunicábamos como lo haría con cualquier persona, cara a cara. Ella me elevó a un estado de éxtasis y a un total conocimiento de la victoria de mi hijo, y me dijo que afirmase mi entera aceptación de su victoria ese día.

Estaba sólo a medio metro de mí, y me sentí totalmente envuelta en su presencia. Debió de estar ante mí al menos durante cinco minutos, y mientras desaparecía, repitió: «YO SOY SU MADRE».

Continué en meditación, cantando canciones de gratitud y victoria, de plegaria y adoración a Dios. Cuando fui a apagar la vela al final de mi meditación, vi que un pequeño trozo de cera había caído. Tenía la forma en que la Virgen se me había aparecido: una madre con un niño en sus brazos. Fue su regalo, para que yo siempre recordara su promesa y mi compromiso con ella.

Muchas veces, durante los siguientes cinco años, recordé la imagen en cera.

Durante esos cinco años, Bradley vivió en un mundo irreal y tuvo muchos problemas, me escribió su madre. No fue capaz de conservar un trabajo, tuvo accidentes de motocicleta, y casi lo apuñalan en una pelea en un bar; no tenía respeto a sus padres y familiares, llevaba la ropa sucia y no se cuidaba físicamente, entre otras cosas.

Pero esto empezó a cambiar. Bradley visitó a su madre y ambos se fueron de acampada a las montañas de San Gabriel. Allí lo pasaron muy bien. Su madre continúa:

Acabamos nuestro primer largo día de excursión, acampamos y nos retiramos a nuestra tienda, hacia las nueve de la noche. Estaba muy contenta cuando recé a Dios esa noche. Sabía que era una gran oportunidad en mi vida. Le recé a la Madre María para que nos protegiera. Le pedí perdón por todos los errores e injusticias que le hubiera causado a mi hijo en cualquier vida.

Pedí una dispensación para que él pudiera nacer de nuevo, libre de toda imposición que yo hubiera podido poner sobre él. Pedí que si estaba atrapado en alguna trampa por drogas, que fuera destruida; que si yo podía llevar alguna carga suya que le liberase, fuera la que fuera, yo la llevaría.

Poco después de hacer esta oración, comencé a experimentar un dolor físico agudo en el costado derecho. El dolor se trasladó a mi corazón y luego al brazo izquierdo. Pronto me sentí paralizada por el dolor, apenas podía respirar. Sentí que estaba muriendo. Conocía la extrema agonía de ese dolor, sin embargo la Presencia de Dios a mi alrededor la consumía.

Me sentí aliviada cuando a las seis de la mañana Bradley me preguntó: «¿Estás despierta, mamá?» Inmediatamente después de contarle el dolor que tenía, él me reconfortó y me dijo que enseguida volvería; iba por ayuda.

Bradley corrió quince kilómetros hasta la estación de los guardabosques en busca de ayuda, y volvió en un helicóptero con siete hombres. Más tarde, ya en el hospital, los médicos no encontraron ninguna razón física para el dolor. Le prescribieron descanso durante unos días. La madre nos cuenta:

Creo que me fue permitido experimentar todo el dolor que fuera capaz de soportar para la transmutación de una cierta cantidad de karma. Y estoy agradecida por la oportunidad.

Cuatro meses más tarde, Bradley llamó a su madre para decirle que se había puesto en manos de un hospital para el tratamiento del alcohol y las drogas. Su vida empezó a cambiar. Se matriculó en la universidad, obtuvo un máster y empezó a preparar el doctorado. Se convirtió en el director ejecutivo de un consejo para alcoholismo y toxicomanía. Está casado y tiene un hijo. No ha vuelto a fumar ni a beber y tiene una vida productiva. Su madre escribe:

Quiero decir a todas las madres que tengan el corazón roto porque un hijo suyo se ha involucrado con las drogas y el alcohol, que hay esperanza, y que hay que buscarla en el corazón de la Madre María.

¿Cuál es la lección que podemos aprender de esto? Que podemos llevar nosotros el karma de otro, el karma de un ser querido. Podemos llevar sobre nuestras espaldas esa pesada carga del karma hasta sentir tanto dolor que casi experimentamos, por así decirlo, una crucifixión. Has visto cómo el amor del corazón de una madre deseaba hacer algo para romper ese control de las fuerzas siniestras sobre su hijo, que estaban destruyendo su mente y su corazón.

Éste es el don de sacrificio del corazón de una madre. A medida que nuestro corazón se expanda y sintamos las preocupaciones de una madre o un padre en el mundo, podremos desear llevar las cargas de nuestros jóvenes y de gente maravillosa, para su victoria y por sus almas. Es conmovedor saber cuánto nos va a permitir hacer Dios, cuando estemos en profunda oración y cuando nuestros corazones nos duelan tanto por nuestros seres queridos.

Mi conversión personal a María

Por último, me gustaría contarte mi conversión personal a María, la Madre de Jesús.

Nací en una familia de tradición luterana. Mis padres, europeos, eran protestantes estrictos. De muy pequeña tuve experiencias especiales, recuerdos de vidas pasadas. Así, fui en busca de alguien que pudiera enseñarme en mi pueblo, Red Bank, en New Jersey. Fui de iglesia en iglesia, visitando todas las iglesias protestantes; visité la iglesia católica e incluso fui a la sinagoga.

Me encantó la iglesia católica, y siempre le pedía a mi madre que me llevase allí cuando íbamos de compras. Me encantaban las estatuas, así como encender las velas.

Pero cuando ingresé en la Universidad de Boston, fui adoctrinada por aquellos protestantes que estaban en la iglesia que elegí, la iglesia de la Ciencia Cristiana, los cuales decían que los católicos adoraban a ídolos y a la Virgen María como un ídolo, y que no estaba bien invocar a los santos. Todo esto me creó prejuicios.

Estaba a punto de graduarme en la Universidad de Boston y preparada para marcharme a la ciudad de Washington. Llevaba sobre mí mucha negatividad, justamente cuando vi a la Virgen María retratada en un mural en el metro. Llevaba el título «Reina de los Ángeles». Me pregunté cómo podía ella permitir que la gente la tratase como a un ídolo, por qué permitía esa blasfemia.

Un bonito día en que iba caminando por la avenida Commonwealth, miré al cielo y allí, frente a mí, estaba María, la madre de Jesús. Era una hermosa Virgen, un ser de gran luz. Parecía como si fuese mi hermana. Iba vestida de blanco y lucía la más hermosa sonrisa.

Me estremecí porque, sólo con mirarla, todos esos prejuicios, todo ese disparate, se desvanecieron. Sentí una gran felicidad por haber encontrado a la verdadera Madre María.

Así que fui —no caminando, sino corriendo— hacia la iglesia católica más cercana. Me alegró mucho poder arrodillarme ante su estatua, saber que no estaba adorando a un icono, sino que ella era una persona real, un ser celestial y la madre de mi Señor. Me arrodillé ante ella. Le pedí perdón por mi estado de conciencia. Le brindé toda mi vida y le ofrecí todo lo que iba a realizar durante mi vida; quería ser su amiga y su sirviente. Así empezó una larga asociación con María, la Madre de Jesús.

Rosarios para la Nueva Era

En 1972, mientras estaba meditando, María vino a mí y dictó lo que llamó sus «Rosarios Escriturales para la Nueva Era». Más tarde, me dio una serie de rosarios más cortos, de quince minutos. Estos rosarios para la nueva era son magníficas oraciones, que alternan el Ave María con citas de las Sagradas Escrituras y con otras oraciones dictadas por los Maestros Ascendidos.

Cuando la Virgen María dictó sus rosarios dijo: «Así es como quiero que digáis el Ave María». Es diferente de la versión católica tradicional, que acaba con las palabras «ruega por nosotros pecadores, ahora y en la hora de nuestra muerte».

La Virgen María dijo: «No sois pecadores, sois hijos e hijas de Dios. Puede que hayáis pecado, pero no sois pecadores. Me necesitáis no en la hora de la muerte, sino en la hora de vuestra victoria, cuando vayáis a obtener la victoria sobre el pecado, la enfermedad y la muerte. Es entonces cuando debéis llamarme. Necesitáis mi fortalecimiento y mi protección».

Así, el Ave María de su rosario para la nueva era reza:

Ave María, llena eres de gracia,
el Señor es contigo.
Bendita tú eres entre todas las mujeres y
bendito es el fruto de tu vientre, Jesús,
Santa María Madre de Dios,
ruega por nosotros, hijos e hijas de Dios,
ahora y en la hora de nuestra victoria
sobre el pecado, la enfermedad y la muerte.

Cada vez que recitamos el rosario, nos dice la Virgen, estamos construyendo un «moméntum» de

luz y amor que puede espiritualmente alentar a todos los que están necesitados.

Imagen 2. La Virgen del Globo

Gráfica de tu Yo Divino

En la gráfica[1] hay tres figuras representadas, a las que nos referiremos como figura superior, figura media y figura inferior. La figura superior es la Presencia YO SOY, el YO SOY EL QUE YO SOY, la individualización de la presencia de Dios para cada hijo e hija del Altísimo. La Mónada Divina se compone de la Presencia YO SOY rodeada por las esferas (anillos de color) de luz que constituyen el Cuerpo Causal.

Éste es el cuerpo de la Primera Causa que contiene dentro de sí los «tesoros del hombre acumulados en el cielo», palabras y obras, pensamientos y sentimientos virtuosos, realización y luz, energías puras de amor que se han elevado desde el plano de la acción en el tiempo y el espacio como resultado

---

[1] Ver gráfica del Yo Divino, página 63.

del ejercicio juicioso del libre albedrío por parte del hombre y de su calificación armoniosa de la corriente de vida que surge del corazón de la Presencia y desciende al nivel del Ser Crístico, y desde allí para estimular y avivar al alma encarnada.

La figura media de la gráfica es el Mediador entre Dios y el hombre, llamado el Santo Ser Crístico, el Ser Real, o la conciencia Crística. Se le ha llamado también Cuerpo Mental Superior o Conciencia Superior. Este Instructor interno ampara al yo inferior, que consiste en el alma que evoluciona a través de los cuatro planos de la Materia usando los vehículos de los cuatro cuerpos inferiores (el cuerpo etérico, o de la memoria; el cuerpo mental; el cuerpo emocional, o del deseo; y el cuerpo físico) para equilibrar el karma y cumplir el plan divino.

Las tres figuras de la gráfica corresponden a la Trinidad de Padre, que siempre incluye a la Madre, (la figura superior), Hijo, (la figura media) y Espíritu Santo (la figura inferior). Esta última está destinada a ser el templo del Espíritu Santo, cuyo fuego está indicado por la llama violeta que la rodea. La figura inferior te representa a ti como discípulo en el Sendero.

Tu alma es el aspecto no permanente del ser, que se hace permanente a través del ritual de la ascensión. La ascensión es el proceso por el cual el alma, habiendo equilibrado su karma y cumplido su plan divino, se une, primero con la conciencia Crística y después con la Presencia viviente del YO SOY EL QUE YO SOY. Una vez que la ascensión ha tenido lugar, el alma, el aspecto no permanente del ser, se convierte en el Incorruptible, un átomo permanente en el Cuerpo de Dios. La gráfica de tu Yo Divino es, pues, un diagrama de ti mismo: pasado, presente y futuro.

La figura inferior representa al hijo del hombre o hijo de la Luz evolucionando bajo su propio «Árbol de la Vida». Es así como deberías visualizarte, de pie en la llama violeta, que invocas diariamente en el nombre de la Presencia YO SOY y tu Santo Ser Crístico para purificar tus cuatro cuerpos inferiores en preparación para el ritual del matrimonio alquímico: la unión de tu alma con el Amado, tu Santo Ser Crístico. La figura inferior está rodeada por un tubo de luz que es proyectado desde el corazón de la Presencia YO SOY en respuesta a tu llamado. Es un cilindro de luz blanca que sostiene un campo de fuerza de protección las veinticuatro horas del día, siempre y cuando lo mantengas en armonía. También es invocado diariamente con los «Decretos de Corazón, Cabeza y Mano» y puede ser reforzado cuando se necesite.

La llama trina de Vida es la chispa divina enviada desde la Presencia YO SOY como el don de vida, conciencia y libre albedrío. Está sellada en la cámara secreta del corazón para que, a través del Amor, la Sabiduría y el Poder de la Deidad anclados allí dentro, el alma pueda cumplir su razón de existir en el plano físico. También llamada llama Crística y la llama de la libertad, o flor de lis, es la chispa de la Divinidad del hombre, su potencial para alcanzar la Cristeidad. El cordón de plata (o cristalino) es la corriente de vida que desciende desde el corazón de la Presencia YO SOY hasta el Santo Ser Crístico para alimentar y sostener (a través de los chakras) al alma y a sus vehículos de expresión en el tiempo y el espacio. Por este «cordón umbilical» fluye la energía de la Presencia entrando en el ser del hombre por la coronilla y dando el ímpetu al latido de la llama trina al igual que al del corazón físico.

Cuando se termina un ciclo de encarnación del alma en la forma Material, la Presencia YO SOY retira el cordón de plata, con lo que la llama trina vuelve al nivel del Cristo y el alma vestida con la vestidura etérica gravita al nivel más alto de su realización, donde es instruida entre una encarnación y otra hasta la final en la que la gran ley decreta que no volverá a salir.

La paloma del Espíritu Santo que desciende desde el corazón del Padre se muestra justo encima de la cabeza del Cristo. Cuando el hijo del hombre se reviste y se convierte en la conciencia del Cristo, como Jesús hizo, se une con el Santo Ser Crístico. El Espíritu Santo está sobre él y son dichas las palabras del Padre, la amada Presencia YO SOY: «*Éste es mi Hijo amado, en quien tengo complacencia*» [Mateo 3:17].

Imagen 3. Gráfica de tu Yo Divino

Otros títulos de

Porcia ⬛ *Ediciones*

Activar los chakras
El destino del alma
Mensajes para la era de Acuario
Karma, reencarnación y cristianismo
Destellos de sabiduría de los Arcángeles
La respuesta que buscas está dentro de ti
Secretos de prosperidad. Abundancia para el siglo XXI
Ángeles de protección. Historias reales del Arcángel Miguel
Los Ángeles te ayudan a crear milagros en tu vida
Mensajes desde el retiro de Saint Germain
Ángeles de la iluminación. Arcángel Jofiel
Ángeles del amor. El Ángel de la guarda
Ángeles de la guía. El Arcángel Gabriel
Ángeles del éxito. Los serafines
Rosario al Arcángel Miguel
El Arcángel Uriel

PORCIA EDICIONES, S.L.
Barcelona (España)
Tel./ Fax (34) 93 436 21 55

PORCIA PUBLISHING CORP.
Miami (U.S.A.)
Tel./Fax (1) 305 364 00 35

E-mail: porciaediciones@wanadoo.es

Para cursos, seminarios y conferencias

Barcelona (España) Tel. (34) 93 450 26 13